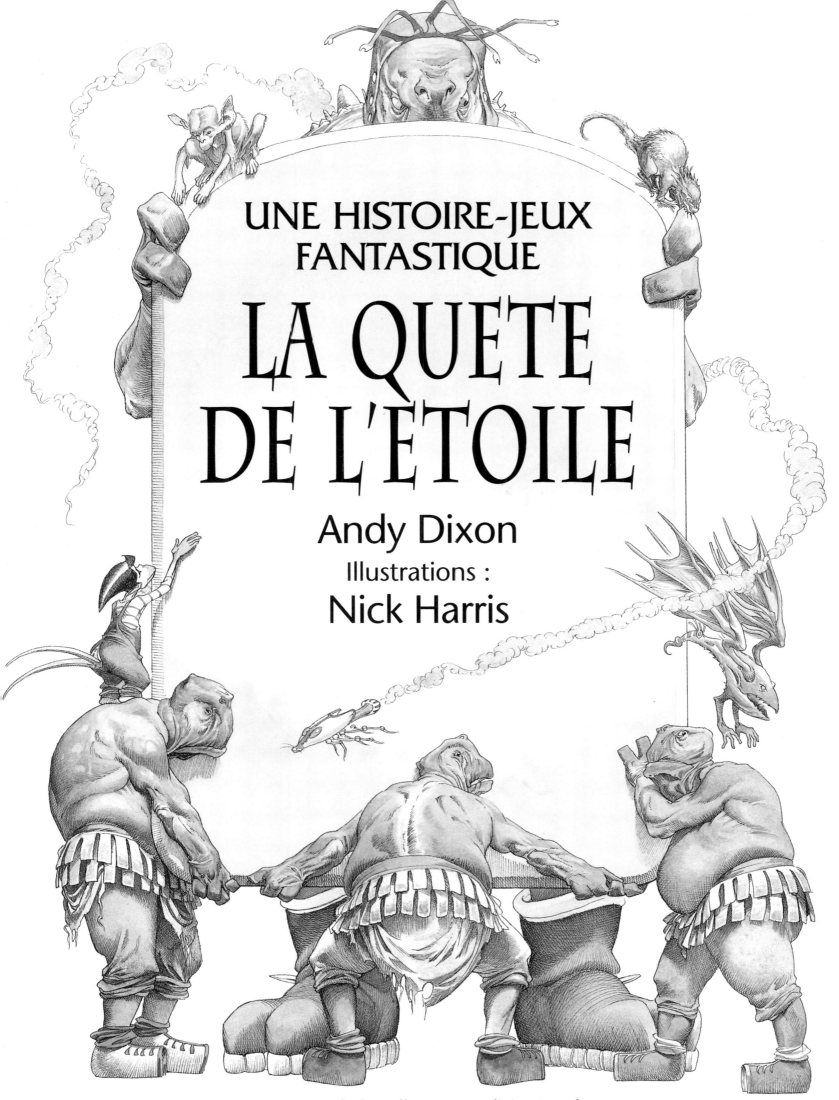

UNE HISTOIRE-JEUX FANTASTIQUE

LA QUÊTE DE L'ÉTOILE

Andy Dixon

Illustrations :
Nick Harris

Directrice de la collection : Felicity Brooks
Maquette de la collection : Mary Cartwright
Traduction : Nathalie Chaput

Message aux terriens :

Amis terriens !

N'ayez pas peur. Je viens en paix.

Je m'appelle Plib. J'habite une petite planète du nom de Bliss qui se trouve à des années de lumière de la Terre, dans une autre galaxie. Au nom de tous ses habitants, écoutez-moi : nous sollicitons votre aide.

Notre planète, comme votre Terre, était autrefois un endroit plaisant où il faisait bon vivre. Mais aujourd'hui elle se transforme en un monde glacial et désert. Le vil seigneur Glaxx, à la tête d'un groupe de voyous intergalactiques, les Baves de lave, a mis au point un laser dont le faisceau peut aspirer l'énergie de tous les soleils de l'Univers. Au moment même où je vous parle, il s'attaque à l'étoile qui fournit chaleur et lumière au monde d'où je viens. Sans l'énergie de son soleil, ma planète va lentement s'enfoncer dans les ténèbres, et tous les habitants de Bliss vont peu à peu mourir de froid.

Le vil seigneur Glaxx a un plan : aspirer l'énergie de tous les soleils qui composent l'Univers, tous sans exception, et détruire ainsi la vie sur les planètes. Il faut l'en empêcher ! Ce n'est qu'une question de temps avant qu'il s'en prenne à votre planète Terre et à son étoile, le Soleil.

S'il se trouve un terrien prêt à mettre son courage et son astuce au service de ma planète et à sauver ainsi tout l'Univers, qu'il me rejoigne pour la plus grande aventure de sa vie...

LA QUÊTE DE L'ÉTOILE.

Amicalement, Plib

Points importants pour les participants

Merci de te joindre de plein gré à la Quête de l'Étoile, et bienvenue dans le Monde des Étoiles, le plus passionnant des parcs de loisirs à thème de la Terre. Mais avant tout, laisse-moi te dévoiler quelques informations essentielles qu'il te faudra étudier avec attention. Au bas de cette page, la carte représentant la planète Bliss t'y aidera.

Quel est le problème ?

Le vil seigneur Glaxx, le chef des voyous intergalactiques, chenapans au corps de lave fondue qui se font appeler Baves de lave, a mis au point un puissant laser capable d'absorber l'énergie des étoiles. À cet instant précis, il est sur le point d'aspirer l'énergie du soleil qui fournit chaleur et lumière à la petite planète Bliss.

En quoi es-tu concerné ?

Bientôt, Glaxx se tournera vers la Terre et pointera son laser sur ton étoile, le Soleil. Alors ton monde se transformera en un éternel désert de glace !

Peut-on arrêter Glaxx ?

Tu ne pourras empêcher Glaxx d'accomplir ses forfaits que si tu t'associes à Plib, le messager de Bliss.

Quelqu'un peut-il t'accompagner ?

À bord du vaisseau spatial de Plib, il y a place pour deux autres terriens. Les deux premières personnes à franchir la porte du vaisseau à tes côtés feront partie du voyage, si Plib peut les persuader de l'aider.

Quand devrez-vous partir ?

À l'instant. Le vil seigneur Glaxx en aura bientôt terminé avec le soleil de Bliss. Il ne restera alors de la planète de Plib qu'une masse informe et glaciale dans le vide intersidéral. Il n'y a pas de temps à perdre.

Comment voyagerez-vous ?

Vous décollerez du Monde des Étoiles dans le vaisseau de Plib et partirez loin, très loin, vers la planète Bliss.

LA PLANÈTE BLISS

Gelée de pierres

Forêt Aïe Aïe

Blange

Soleil de Bliss

Cratères

Tour aux Tentacules

Ile aux Tortillons

Lac Onsinoi

Marais poisseux

Désert de Cristal

Monts de Lave

Terres glacées

Vaisseau de Glaxx

Comment résoudre les énigmes ?

La quête sera difficile et périlleuse. Il faut de l'ingéniosité, du courage et beaucoup de perspicacité pour survivre. Dans chaque lieu que vous visiterez, vous verrez un panneau d'affichage comme celui qui se trouve ci-dessous. Il explique les actions à accomplir pour avoir le droit de passer à l'étape suivante.

Seigneur Glaxx

Les Terres glacées

SPECIMEN

Vous vous échappez de la station spatiale de Plob. Mais votre vaisseau est touché par les canons laser de la station, et vous voilà forcés d'atterrir sur les Terres glacées de Bliss. Avant que Glaxx ne commence à aspirer l'énergie solaire, en cet endroit se trouvaient les sols les plus fertiles de la planète. C'est maintenant un lieu gelé et déserté.

De nombreux soldats du vil Glaxx pratiquent toutes sortes de sports d'hiver sur les Terres glacées. Procurez-vous des vêtements chauds pour passer inaperçus : 4 paires d'après-ski, 4 paires de lunettes, 4 manteaux en peau de chouvre et 4 bonnets. Ne prenez pas les vêtements des soldats.

Le vaisseau de Plib est endommagé. Il ne peut pas être réparé. La maison de Plib se situe de l'autre côté des montagnes, et Plib dit qu'il existe un tunnel pour s'y rendre, mais où est-il ?

On ne peut pas marcher sur la neige, elle est si épaisse qu'on s'y enfoncerait. Il faut prendre la luge abandonnée. Cherchez-la ainsi que son guidon. Aidez-vous de la pelle pour les dégager, puis assemblez-les et allez vers le tunnel.

Trouvez un pot de fromage de chouvre fondu ainsi que 6 morceaux de pain. Emportez-les.

Vous êtes ici.

Les dessins et les cartes vous indiquent l'emplacement de chaque lieu. Plib, l'extraterrestre, en conserve des copies.

Quand vous les rencontrez, lisez ces informations avec attention. Elles contiennent des indices pour comprendre les énigmes.

Dans chaque nouveau lieu que vous visitez, ces dessins sur le panneau d'affichage vous renseignent sur les créatures ou les choses qu'il faut découvrir ou éviter. Certaines ne sont pas faciles à déceler, car on n'en voit qu'une partie.

Des dessins représentent des choses qui vous seront utiles pour la suite, ou bien vous indiquent comment aller à l'emplacement suivant.

Par endroits, des choses à manger ou à boire sont dessinées sur le panneau. Recherchez-les ; il y en a dans presque tous les lieux visités.

Les cristaux d'énergie

Après avoir quitté le Monde des Étoiles, il faut dénicher un cristal d'énergie dans chacun des sept lieux visités. Au huitième lieu, il y en a trois. Les dix cristaux réunis vous aideront à combattre Glaxx et à sortir victorieux, pensez à les récupérer.

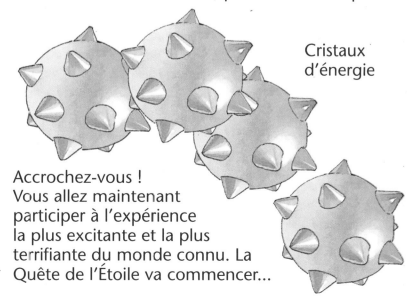

Cristaux d'énergie

Accrochez-vous ! Vous allez maintenant participer à l'expérience la plus excitante et la plus terrifiante du monde connu. La Quête de l'Étoile va commencer...

des neiges

9 pain-gouins à deux têtes

En bas de chaque page, vous verrez des vignettes illustrées. Vous devez chercher le nombre d'objets indiqué sur l'image principale. Ce jeu vous permettra de développer votre esprit d'observation et de survivre... peut-être !

Le Monde des Étoiles

Tu te trouves dans le Monde des Étoiles, le plus grand des parcs à thème de la Terre. Tu n'as pas le temps d'aller sur les attractions, car tu dois retrouver Plib, le seul véritable extraterrestre du parc ! Il faut aussi que tu repères les deux aventuriers qui vont t'accompagner dans la Quête de l'Étoile.

Plib a du mal à convaincre l'auditoire que son histoire est vraie. Or il doit bientôt remonter dans son vaisseau spatial. Le vois-tu ?

Deux enfants, Julie et Henri, s'apprêtent à monter à bord du vaisseau spatial de Plib, car ils croient que c'est une attraction comme une autre... Les vois-tu ?

Julie porte des rubans rouges dans ses nattes. Elle a un petit sac à dos tout doux en forme de chien.

Henri est grand pour son âge. Il est roux et ne peut empêcher ses cheveux de rebiquer sur sa tête.

Vous ne pourrez aller nulle part si vous ne parvenez pas au vaisseau spatial de Plib. Le voyez-vous ?

Procurez-vous 5 étoile-burgers et 5 soleil-shakes pour le voyage.

7 casques spatiaux

9 coucous

12 sucettes

14 casques du Monde des Étoiles

10 agents de sécurité

9 chiens de prairie

35 ballons

7

Le vaisseau de Plib

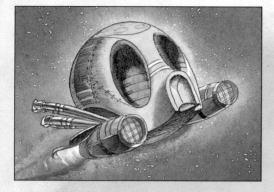

Lorsque Julie et Henri se retrouvent dans le vaisseau de Plib, celui-ci les entretient des problèmes qui menacent sa planète. D'un commun accord, les enfants décident de l'aider. Le vaisseau spatial franchit alors l'orbite terrestre et navigue dans l'espace. Déjà, quelques incidents surviennent.

Il faut vous emparer de la manette contrôlant la pesanteur et la tourner afin d'empêcher tout corps de flotter.

Le vaisseau est envahi de bouffeuses, des petites créatures à fourrure qui mordillent les doigts et les oreilles et grignotent toute votre nourriture. Dénichez l'aspirateur et aspirez-les : vous les relâcherez sur Bliss. Trouvez les 15 bouffeuses.

Tige

Le pilote automatique, qui permet au vaisseau de se déplacer mille fois plus vite que la normale, a été endommagé. Si vous ne le réparez pas, il faudra plus de cent ans pour rejoindre Bliss. Cherchez le pilote et les 4 tiges qui lui manquent.

Glimabar

Les bouffeuses ont dévoré presque toute la nourriture. Il ne reste plus qu'un seul repas. Trouvez les 6 glimabars et les 3 gregneits.

Gregneit

7 canettes de cocanade

7 bottes lestées

5 paires de lunettes

14 fusibles

4 couvertures

6 cylindres à musique

17 parfums d'ambiance

La station spatiale

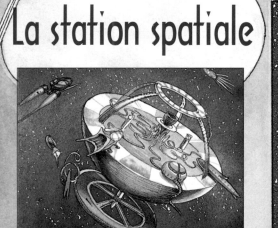

Bliss se trouve dans la galaxie de Blob. Il faut vous arrêter sur Blob pour faire le plein. Là vous attirez l'attention de tous les extra-terrestres. Ils n'ont jamais vu d'humains auparavant...

Julie joue au muggum avec le plus vilain des extraterrestres de la station spatiale. S'il sort vainqueur, il gagne le vaisseau de Plib. Si Julie l'emporte, vous serez tous libres.

Si on appuie sur un bouton noir de l'échiquier, il devient blanc ainsi que tous les boutons qui se trouvent à côté, et inversement, si le bouton est blanc, il devient noir ainsi que tous ses voisins. C'est au tour de Julie : elle gagnera si elle peut changer tous les boutons en noir. Aidez-la à appuyer sur le bouton gagnant.

Il y a de la nourriture à foison mais n'y touchez pas, elle vous rendrait malades ! Trouvez 7 salades bleues et 12 tranches de pizza de l'espace.

Il faut faire le plein. Attention le pompiste cherche à vous capturer ! Dénichez un tuyau libre et tirez sur le levier approprié. Puis cherchez un outil permettant de libérer les bouffeuses de l'aspirateur pour créer une diversion... et échappez-vous !

8 réservoirs

10 caisses

16 serveurs

13 jetons

4 clés

6 klaxons

9 paires de dés en fourrure

7 pièges à bouffeuse

11

Les Terres glacées

Vous vous échappez de la station spatiale de Blob. Mais votre vaisseau est touché par les canons laser de la station, et vous voilà forcés d'atterrir sur les Terres glacées de Bliss. Avant que Glaxx ne commence à aspirer l'énergie solaire, en cet endroit se trouvaient les sols les plus fertiles de la planète. C'est maintenant un lieu gelé et déserté.

De nombreux soldats du vil Glaxx pratiquent toutes sortes de sports d'hiver sur les Terres glacées. Procurez-vous des vêtements chauds pour passer inaperçus : 4 paires d'après-ski, 4 paires de lunettes, 4 manteaux en peau de chouvre et 4 bonnets. Ne prenez pas les vêtements des soldats.

Le vaisseau de Plib est endommagé. Il ne peut pas être réparé. La maison de Plib se situe de l'autre côté des montagnes, et Plib dit qu'il existe un tunnel pour s'y rendre, mais où est-il ?

On ne peut pas marcher sur la neige, elle est si épaisse qu'on s'y enfoncerait. Il faut prendre la luge abandonnée. Cherchez-la ainsi que son guidon. Aidez-vous de la pelle pour les dégager, puis assemblez-les et allez vers le tunnel.

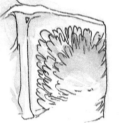

Trouvez un pot de fromage de chouvre fondu ainsi que 6 morceaux de pain. Emportez-les.

5 masques

7 bâtons de ski

7 palets de hackey

7 surfs des neiges

9 pain-gouins à deux têtes

7 crosses de hackey

6 chouvres

14 piquets de slalom

13

Les Stars de la lave

Au cœur des montagnes, vous découvrez une colonie de Stars de la lave. Les acteurs passent leur journée à répéter des pièces de théâtre qu'ils jouent gratuitement devant les habitants de Bliss. Vous apprenez qu'il y a longtemps Glaxx aussi était une Star. Il s'est fourvoyé en faisant payer les spectateurs qui venaient le voir jouer. Peu après, Glaxx et ses partisans, les Baves de lave, ont quitté Bliss pour devenir des voyous.

Cette année, on joue « Le Marsanthrope », mais quatre des vedettes se sont querellées et ne veulent pas sortir de leur vestiaire. Lari, le metteur en scène, vous prend à part : si vous l'aidez, il vous dira comment vaincre Glaxx. Cherchez 4 copies de la pièce de théâtre ainsi que 4 chapeaux, et remplacez sur scène les stars boudeuses.

Bouteille de vib

Quelque part dans ce bazar, il y a des boissons et de la nourriture qui doivent servir d'accessoires pour le prochain tableau. Trouvez un cuissot de bam et 6 bouteilles ce vib.

Cuissot de bam

Lari dit que comme Glaxx est en lave fondue, la seule façon d'en venir à bout est de le congeler. Il vous annonce aussi que vous ne pourrez pas continuer votre voyage sans dénicher 4 coquilles vides de baveux géants. Les voyez-vous ?

6 atomiseurs

5 chandeliers

7 éventails

13 sacs de sable 8 boas en plumes 10 boîtes à chapeau 2 paires de jumelles 6 perruques

15

Le lac Onsinoi

Le lac Onsinoi est un ancien lac réchauffé par les flots de lave qui circulent en dessous. Le lac est très profond par endroits, et d'étranges créatures vivent tout au fond. Vous nagez dans les profondeurs du lac et respirez grâce à l'air emprisonné dans les coquilles vides de baveux géants.

Les créatures du lac se nourrissent entre autres de baveux géants. Votre vie est en danger si elles vous prennent pour l'un de ces mollusques ! Il vous faut 5 noctoseiches pour les garder à distance : celles-ci projettent un nuage d'encre au goût infect quand elles se sentent menacées par un prédateur.

Avec les coquillages géants sur la tête, vous avez du mal à vous diriger. Mais il est trop dangereux de continuer à pied. Un bateau abandonné repose à la surface de l'eau. Repérez son ancre et grimpez à bord en suivant la corde. Le voyage se fera en bateau dorénavant.

Quand une mystérieuse créature a fait chavirer leur bateau, de nombreux pêcheurs ont perdu leurs provisions dans le lac. Quelque part flottent 3 boîtes à sandwich et 3 thermos. Si l'eau ne s'est pas infiltrée dans les ustensiles, les aliments sont encore mangeables.

8 loches

2 baveux géants

5 poilus

5 poissons-pierre   8 tortillons   6 hameçons   5 unaises   10 bulles

La forêt Aïe Aïe

Dans la forêt Aïe Aïe, tout pique ou mord. Les arbres et les plantes y poussent en si grand nombre que la forêt n'a pas encore subi le mauvais temps glacial qui s'est abattu sur le reste de la planète.

Si un mousti vous pique, vous dormirez pendant une semaine et un jour. La seule façon de tenir les moustis éloignés est de râper les graines d'une plante qui ne pousse que dans la forêt Aïe Aïe. Trouvez 6 graines et la râpe.

Râpe

Graine

Il est presque impossible de trouver quelque chose de comestible. La seule solution consiste à suivre les donne-songes et à leur voler leur nourriture. Repérez-en 5 et dévalisez-les !

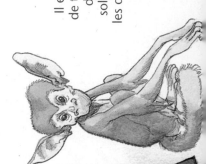

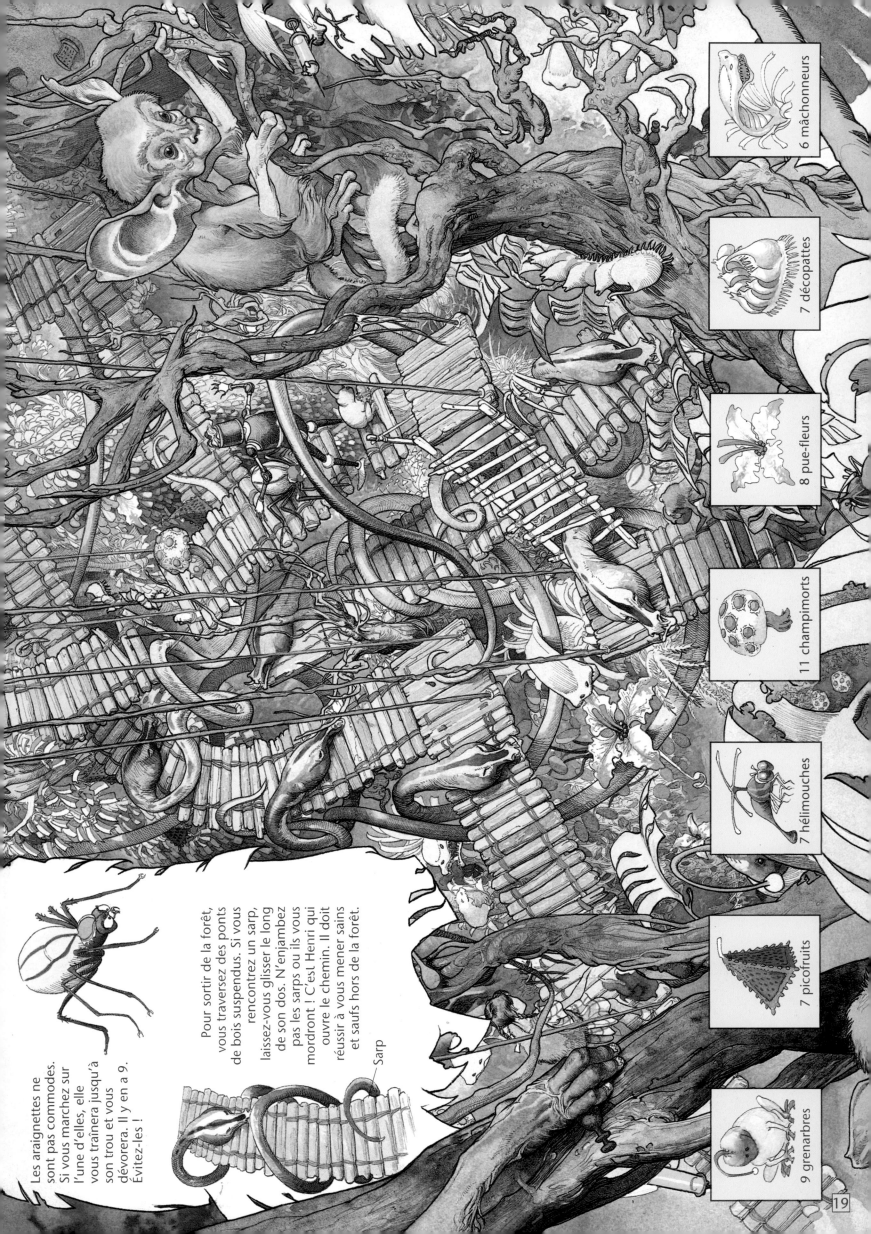

Les araignettes ne sont pas commodes. Si vous marchez sur l'une d'elles, elle vous traînera jusqu'à son trou et vous dévorera. Il y en a 9. Évitez-les !

Pour sortir de la forêt, vous traversez des ponts de bois suspendus. Si vous rencontrez un sarp, laissez-vous glisser le long de son dos. N'enjambez pas les sarps ou ils vous mordront ! C'est Henri qui ouvre le chemin. Il doit réussir à vous mener sains et saufs hors de la forêt.

Sarp

6 mâchonneurs

7 décopattes

8 pue-fleurs

11 champimorts

7 hélimouches

7 picofruits

9 grenarbres

Blange

Vous voilà à Blange, la ville de Plib. Tous les habitants se sont réunis dans l'usine alimentaire gelée et tentent de trouver un peu de chaleur. Avant que le vil Glaxx ne s'en prenne au soleil de Bliss, les habitants congelaient leurs récoltes dans cette usine et ils exportaient des aliments partout dans la galaxie.

Hublot

Loupe

Chaudière

Le chauffage de la ville est tombé en panne, car tout fonctionne à l'énergie solaire et le soleil de Bliss n'a plus assez d'éclat pour entraîner les machines. Il vous faut une grosse loupe pour concentrer les rayons solaires sur les panneaux qui actionnent le chauffage de l'usine.

Afin de congeler les aliments, les habitants de Bliss se servaient de canons qui fonctionnent grâce aux cristaux d'énergie. Ces canons, et les 6 cristaux que vous avez rassemblés jusqu'à présent, se révèlent une arme redoutable contre les Baves de lave. Cette usine cache 4 canons et un autre cristal.

Pep

Presque toute la nourriture a été mangée, il reste cependant quelques peps gelés. Trouvez-en 6 et laissez-les décongeler lentement près de la chaudière de l'usine.

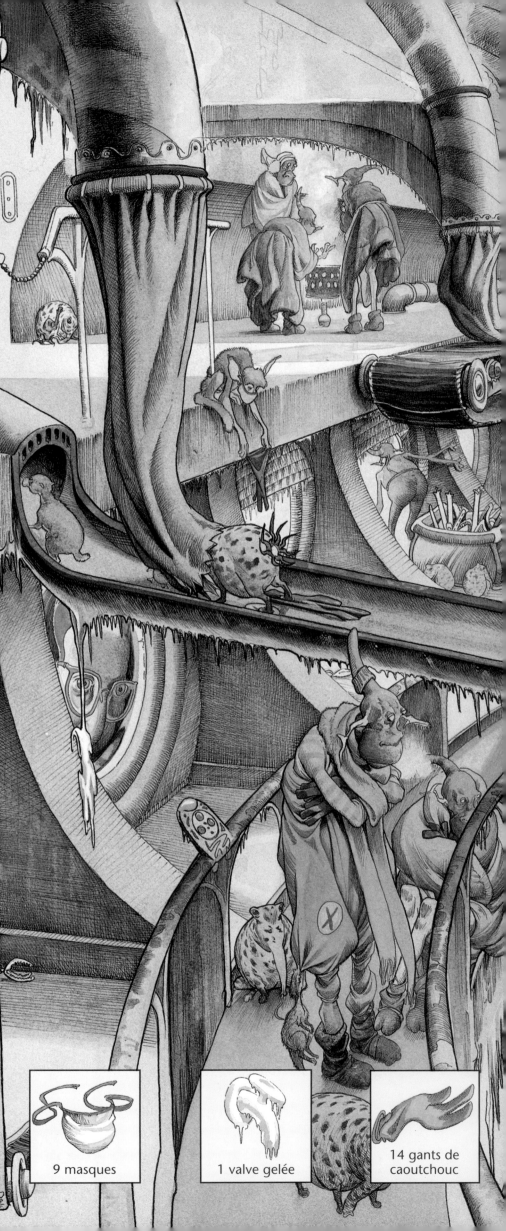

9 masques

1 valve gelée

14 gants de caoutchouc

11 autocollants

9 bonnets

17 haffas affamés

7 brosses

4 cuillères

21

Le musée de Blange

La téléportation est le moyen le plus sûr et le plus rapide d'arriver au vaisseau spatial de Glaxx. Malheureusement le téléporteur de la ville ne possède plus assez d'énergie pour fonctionner. Mais il existe dans le musée de Blange un vieux mécanisme de téléporteur, le Grand Transporteur, qui peut vous téléporter si vous le réparez.

Le musée est envahi de méchantes créatures volantes, les crac-cracs. Ils ont sûrement brisé un hublot pour entrer dans le musée. Les crac-cracs aiment ronger les vieux os. Trouvez 12 vieux os et lancez-les par le hublot. Leur gourmandise les poussera dehors !

On a disposé dans le musée les plus gros, les plus petits mais aussi les plus étranges légumes qui ont réussi à pousser sur Bliss. La plupart sont desséchés et immangeables, mais il reste une bleuette qu'on a apportée la semaine dernière et qui est encore comestible.

Le Grand Transporteur repose au centre de la pièce. Trouvez-en la clé et remontez la machine. Puis prenez place sur les tabourets et concentrez-vous sur le vaisseau de Glaxx (n'oubliez pas de récupérer les 3 derniers cristaux avant de partir).

11 crac-cracs

8 selles

5 ampoules

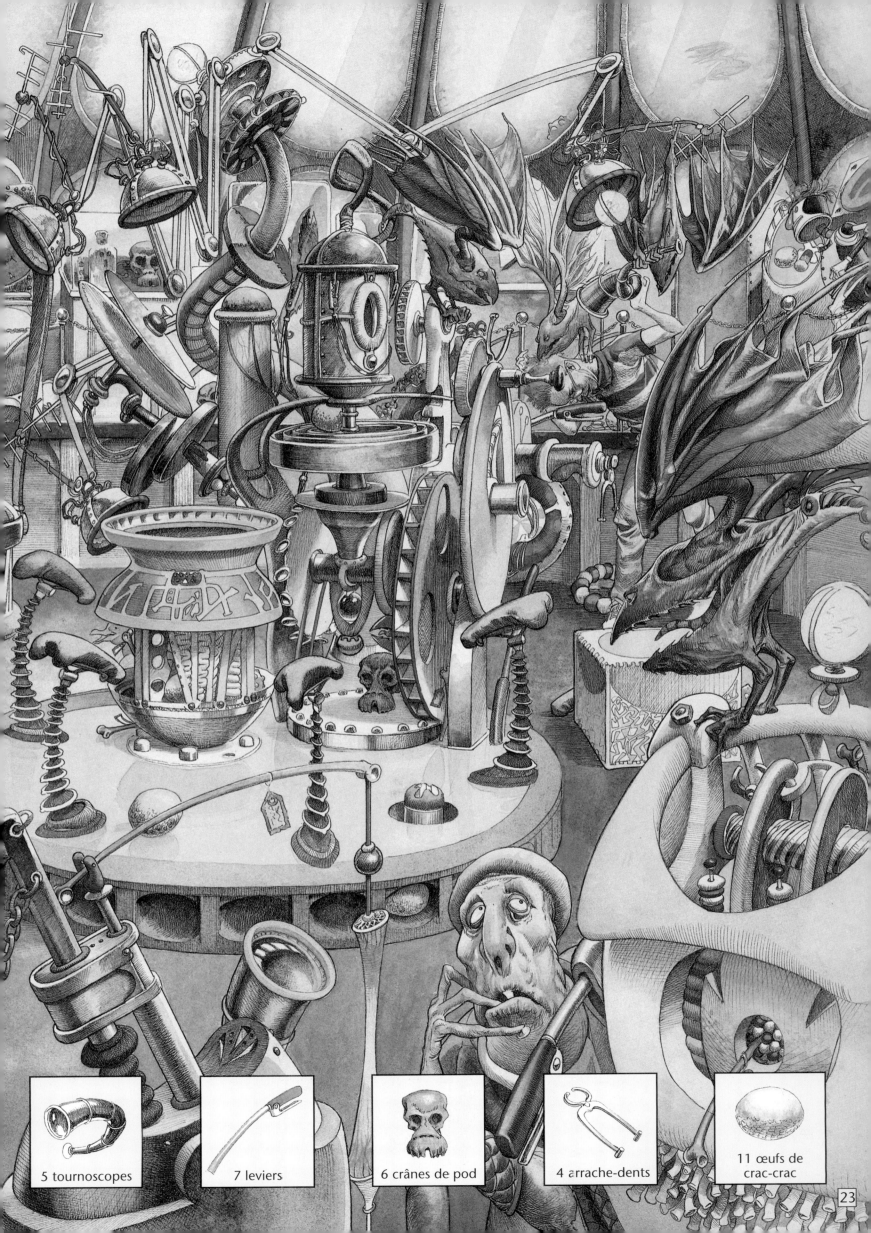

5 tournoscopes

7 leviers

6 crânes de pod

4 arrache-dents

11 œufs de crac-crac

Le vaisseau de Glaxx

Vous êtes enfin dans la salle de téléportation du vaisseau de Glaxx, mais le Grand Transporteur a eu quelques défaillances et il n'a pas réussi à assembler complètement le corps de Plib ni celui d'Henri. Aussi, des parties de Plib et d'Henri flottent autour de la salle. Il vous faut les retrouver une par une et les réunir. Ensuite vous pourrez congeler les Baves de lave grâce aux canons.

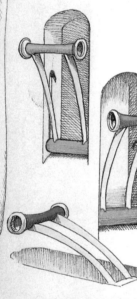

Vous devez absolument stopper le Grand Transporteur afin qu'aucun Bave de lave ne puisse venir de la surface de la planète. Voici les manettes qui contrôlent la machine. Trouvez-en deux et tirez dessus.

Le vil Glaxx est dans la salle du laser en train de vider l'énergie du soleil de Bliss. Pour y aller, trouvez un exemplaire du guide du vaisseau. Il contient un plan et des informations très utiles.

Des boîtes de conserve sont dispersées dans la salle de téléportation, mais la nourriture qu'elles contiennent sent trop mauvais. Seule la graisse de tôle n'est pas trop indigeste. Trouvez-en une boîte, avec un ouvre-boîte.

Ouvre-boîte

6 marchophones

5 vaporisateurs pour vitres

3 boîtes de lave

6 météorites 8 spa-mouches 7 boîtes de piaillis 5 paquets de chewing-gum 8 armes aïe

25

La salle du laser

Vous êtes maintenant dans la salle du laser. Glaxx se sert du laser pour aspirer l'énergie du soleil de Bliss. Or vous vous apercevez que vos canons à congeler ne sont pas assez puissants pour réduire le vil seigneur en glace. Il faut trouver une autre façon de l'empêcher de nuire à la planète.

D'abord, il faut que Glaxx s'éloigne du laser. Comment faire ? Vous savez que les Baves de lave ont très peur des scarabées des rocs qui réussissent à mordre, mâcher et ronger leur peau de lave fondue. Il y en a 7 dans la salle. Ils sont enfermés dans des pièges, et affamés. Trouvez les pièges, ouvrez-les et lancez les scarabées des rocs sur Glaxx.

Pendant que le vil Glaxx se débat, repérez 4 combinaisons spatiales et enfilez-les. Trouvez ensuite le sas et ouvrez-le. Cramponnez-vous ! Glaxx va être aspiré par l'appel d'air ainsi créé. Dans le vide intersidéral, là où il fait si froid, Glaxx va se transformer en glaçon et exploser en mille morceaux.

Trouvez le levier de marche arrière qui commande le laser et actionnez-le. Toute l'énergie du laser revient vers le soleil de Bliss et réchauffe de nouveau la petite planète.

Sur Bliss, le soleil se couche dans une apothéose de couleurs. Vous assistez à une fête, puis départ pour la Terre !

5 réservoirs	10 tuyaux en T	21 singes graisseux

7 valves de pression

5 chiffons

6 burettes

7 peignes huileux

5 manivelles

Le Monde des Étoiles 6-7

Plib 1

Julie 2

Henri 3

Vaisseau spatial de Plib 4

Étoile-burgers 5 6 7 8 9

Soleil-shakes 10 11 12 13 14

Casques spatiaux 15 16 17 18 19 20 21

Coucous 22 23 24 25 26 27 28 29 30

Sucettes 31 32 33 34 35 36 37 38 39 40 41 42

Casques du Monde des Étoiles 43 44 45 46 47 48 49 50 51 52 53 54 55 56

Agents de sécurité 57 58 59 60 61 62 63 64 65 66

Chiens de prairie 67 68 69 70 71 72 73 74 75

Ballons 76 77 78 79 80 81 82 83 84 85 86 87 88 89 90 91 92 93 94 95 96 97 98 99 100 101 102 103 104 105 106 107 108 109 110

Le vaisseau de Plib 8-9

Manette de la pesanteur 1

Bouffeuses 2 3 4 5 6 7 8 9 10 11 12 13 14 15 16

Aspirateur 17

Pilote automatique 18

Tiges 19 20 21 22

Glimabars 23 24 25 26 27 28

Gregneits 29 30 31

Canettes de cocanade 32 33 34 35 36 37 38

Bottes lestées 39 40 41 42 43 44 45

Paires de lunettes 46 47 48 49 50

Fusibles 51 52 53 54 55 56 57 58 59 60 61 62 63 64

Couvertures 65 66 67 68

Cylindres à musique 69 70 71 72 73 74

Parfums d'ambiance 75 76 77 78 79 80 81 82 83 84 85 86 87 88 89 90 91

Cristal d'énergie 92

La station spatiale 10-11

Salades bleues 1 2 3 4 5 6 7

Tranches de pizza 8 9 10 11 12 13 14 15 16 17 18 19

Tuyau 20

Levier approprié 21

Outil 22

Réservoirs 23 24 25 26 27 28 29 30

Caisses 31 32 33 34 35 36 37 38 39 40

Serveurs 41 42 43 44 45 46 47 48 49 50 51 52 53 54 55 56

Jétons 57 58 59 60 61 62 63 64 65 66 67 68 69

Clés 70 71 72 73

Klaxons 74 75 76 77 78 79

Paires de dés en fourrure 80 81 82 83 84 85 86 87 88

Pièges à bouffeuse 89 90 91 92 93 94 95

Cristal d'énergie 96

Bouton sur lequel Julie doit appuyer 97

Les Terres glacées 12-13

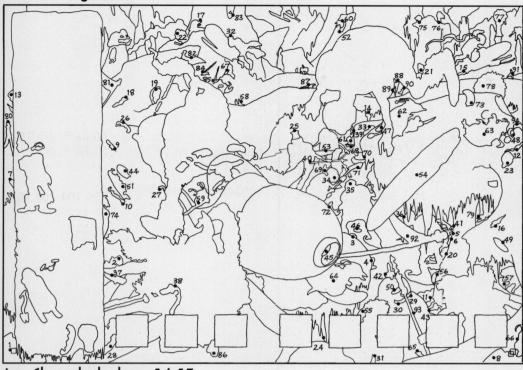

Paires d'après-ski 1 2 3 4 5 6 7 8

Paires de lunettes 9 10 11 12

Bonnets 13 14 15 16

Manteaux en peau de chouvre 17 18 19 20

Entrée du tunnel 21

Luge 22

Guidon 23

Pelle 24

Fromage de chouvre 25

Morceaux de pain 26 27 28 29 30 31

Masques 32 33 34 35 36

Bâtons de ski 37 38 39 40 41 42 43

Palets de hackey 44 45 46 47 48 49 50

Surfs des neiges 51 52 53 54 55 56 57

Pain-gouins 58 59 60 61 62 63 64 65 66

Crosses de hackey 67 68 69 70 71 72 73

Chouvres 74 75 76 77 78 79

Piquets de slalom 80 81 82 83 84 85 86 87 88 89 90 91 92 93

Cristal d'énergie 94

Les Stars de la lave 14-15

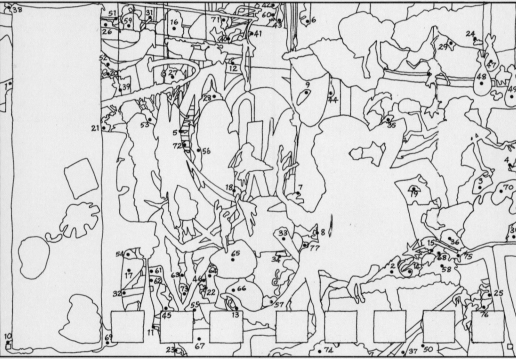

Copies de la pièce de théâtre 1 2 3 4

Chapeaux 5 6 7 8

Cuissot de bam 9

Bouteilles de vib 10 11 12 13 14 15

Coquilles vides de baveux géants 16 17 18 19

Atomiseurs 20 21 22 23 24 25

Chandeliers 26 27 28 29 30

Éventails 31 32 33 34 35 36 37

Sacs de sable 38 39 40 41 42 43 44 45 46 47 48 49 50

Boas en plumes 51 52 53 54 55 56 57 58

Boîtes à chapeau 59 60 61 62 63 64 65 66 67 68

Paires de jumelles 69 70

Perruques 71 72 73 74 75 76

Cristal d'énergie 77

Le lac Onsinoi 16-17

Noctoseiches 1 2 3 4 5

Bateau 6

Ancre 7

Thermos 8 9 10

Boîtes à sandwich 11 12 13

Loches 14 15 16 17 18 19 20 21

Baveux géants 22 23

Poilus 24 25 26 27 28

Poissons-pierre 29 30 31 32 33

Tortillons 34 35 36 37 38 39 40 41

Hameçons 42 43 44 45 46 47

Unaises 48 49 50 51 52

Bulles 53 54 55 56 57 58 59 60 61 62

Cristal d'énergie 63

La forêt Aïe Aïe 18-19

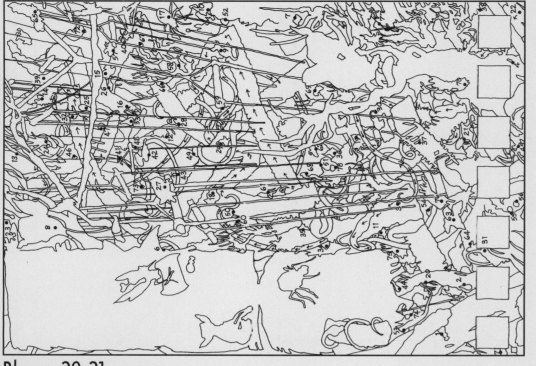

Graines 1 2 3 4 5 6

Râpe 7

Donne-songes (qui mangent) 8 9 10 11 12

Araignettes 13 14 15 16 17 18 19 20 21

Henri débute son trajet en 22. Les flèches indiquent le chemin le plus sûr pour sortir de la forêt.

Grenarbres 23 24 25 26 27 28 29 30 31

Picofruits 32 33 34 35 36 37 38

Hélimouches 39 40 41 42 43 44 45

Champimorts 46 47 48 49 50 51 52 53 54 55 56

Pue-fleurs 57 58 59 60 61 62 63 64

Décopattes 65 66 67 68 69 70 71

Mâchonneurs 72 73 74 75 76 77

Cristal d'énergie 78

Blange 20-21

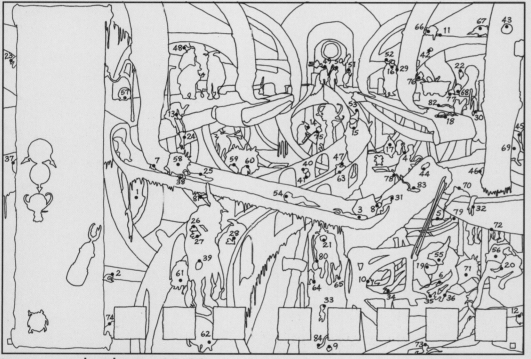

Loupe 1

Canons à congeler 2 3 4 5

Cristal d'énergie 6

Peps 7 8 9 10 11 12

Masques 13 14 15 16 17 18 19 20 21

Valve gelée 22

Gants de caoutchouc 23 24 25 26 27 28 29 30 31 32 33 34 35 36

Autocollants 37 38 39 40 41 42 43 44 45 46 47

Bonnets 48 49 50 51 52 53 54 55 56

Haffas affamés 57 58 59 60 61 62 63 64 65 66 67 68 69 70 71 72 73

Brosses 74 75 76 77 78 79 80

Cuillères 81 82 83 84

Le musée de Blange 22-23

Vieux os 1 2 3 4 5 6 7 8 9 10 11 12

Bleuette 13

Clé du Grand Transporteur 14

Crac-cracs 15 16 17 18 19 20 21 22 23 24 25

Selles 26 27 28 29 30 31 32 33

Ampoules 34 35 36 37 38

Tournoscopes 39 40 41 42 43

Leviers 44 45 46 47 48 49 50

Crânes de pod 51 52 53 54 55 56

Arrache-dents 57 58 59 60

Œufs de crac-crac 61 62 63 64 65 66 67 68 69 70 71

Cristaux d'énergie 72 73 74

Le vaisseau de Glaxx 24-25

Plib 1 2

Henri 3 4

Manettes de contrôle 5 6

Guide du vaisseau 8

Graisse de tôle 9

Ouvre-boîte 10

Marchophones 11 12 13 14 15 16

Vaporisateurs pour vitres 17 18 19 20 21

Boîtes de lave 22 23 24

Météorites 25 26 27 28 29 30

Spa-mouches 31 32 33 34 35 36 37 38

Boîtes de piaillis 39 40 41 42 43 44 45

Paquets de chewing-gum 46 47 48 49 50

Armes aïe 51 52 53 54 55 56 57 58

La salle du laser 26-27

Pièges à scarabées 1 2 3 4 5 6 7

Combinaisons spatiales 8 9 10 11

Sas 12

Levier de marche arrière du laser 13

Réservoirs 14 15 16 17 18

Tuyaux en T 19 20 21 22 23 24 25 26 27 28

Singes graisseux 29 30 31 32 33 34 35 36 37 38 39 40 41 42 43 44 45 46 47 48 49

Valves de pression 50 51 52 53 54 55 56

Chiffons 57 58 59 60 61

Burettes 62 63 64 65 66 67

Peignes huileux 68 69 70 71 72 73 74

Manivelles 75 76 77 78 79

As-tu remarqué ?

- un chien de prairie qui pêche sa nourriture, dans Le Monde des Étoiles ?

- une bouffeuse gourmande, dans Le vaisseau de Plib ?

- quelqu'un qui promène son chien dans l'espace, dans La station spatiale ?

- un pain-gouin à deux têtes qui fait du surf des neiges, dans Les Terres glacées ?

- un monstre, dans Le lac Onsinoi ?

- la bouffeuse gourmande, cette fois dans Le vaisseau de Glaxx ?

Au revoir !